쉼, 표

쉼,표

발 행 | 2024년 1월 10일
저 자 | 지푸라기
펴낸이 | 한건희
펴낸곳 | 주식회사 부크크
출판사등록 | 2014.07.15.(제2014-16호)
주 소 | 서울특별시 금천구 가산디지털1로 119 SK트윈타워 A동 305호
전 화 | 1670-8316
이메일 | info@bookk.co.kr

ISBN | 979-11-410-6593-5

www.bookk.co.kr

쉼
,
표

지푸라기 지음

목차

쉼이 필요한 사람들에게 이 책을 바칩니다.

이 책이 사람들에게 조금이나 재미를 주며 사람들이 쉬어갈 수 있는 작은 화살표가 되어주었으면 하고 바랍니다.

내용이 다소 유치할 수 있으니 양해 부탁드립니다.

'다시 한 번 쉼이 필요한 사람들에게 이 책을 바칩니다.'

EP.0 프롤로그

'손님의 고민을 듣고 음료를 주문받습니다.
편안한 밤 되시길.'

EP.01 불면증 손님

잠이 오지 않는 밤, 나는 잠옷 차림으로 집 밖을 나와 밤길을 걷는 중 희미하게 빛나는 빛이 보였고 그 빛을 따라가 보니 한 카페가 보였고 나는 무언가에 홀린 듯이 그 카페에 들어갔다.

"딸랑, 딸랑"

그 카페의 따뜻하면서 포근한 분위기였고, 고양이 탈을 쓴 신기한 분위기의 직원이 나를 맞이해주고 있었다.

"어서 오세요, 저희 카페에 오신 걸 환영합니다! 무엇을 주문하시겠어요?"

나는 직원의 말에

"메뉴판 좀 보여주시겠어요?"

직원은 나의 말에 당황하는 목소리로

"저희 카페는 메뉴판이 없습니다. 손님.."

"그럼 주문을 어떻게 해요..?"

직원은 당황하는 나에게 설명해주기 시작했다.

"저희 카페는 손님들의 고민을 듣고, 그 고민에 도움이 될만한 음료를 만들어 드린답니다."

'아, 정말요? 신기하네요!'

"사기 치고 있네."

나는 말하고 나서 말과 생각이 바뀌어서 나왔다는 것을 뒤늦게 깨달았다. 나는 얼굴이 새빨개져서는 직원의 눈도 똑바로 보지 못했다. 이때 직원이 말을 꺼냈다.

"손님은 그렇게 생각하실 수 있죠. 그렇고 말고요. 하지만 제 말은 진짜예요. 그리고 음료 값은 안받습니다. 그러니 손님께는 믿으시든 안믿으시든 손해 보시진 않을 거예요."

직원의 말은 맞는 말이었다. 믿어도 안믿어도 손해가 없었으니까, 그리고 직원은 다시 나를 보고는

"주문하시겠어요, 손님?"

나는 한 번 속는 셈치고 음료를 주문하기로 마음 먹었다.

"네, 주문할게요. 수면에 도움이 되는 음료를 주문하고 싶은데요. 요즘 잠을 영 못 자고 있어서요."

직원은 밝은 목소리로

"네, 주문받았습니다. 잠시만 기다려 주세요."

직원은 주문받은 즉시 음료를 만들기 시작

했다. 그동안 나는 카페의 포근한 분위기에 취해있었다. 그리고 주변을 둘러보니 책 한 권이 눈에 들어왔다. 그 책의 내용은 잠이 오지 않는 소녀의 잠을 자기 위해 모험을 떠나는 내용이었다. 내가 그 책을 읽는 동안 음료가 나오고 직원이 말했다.

"주문하신 음료 나왔습니다."

"네, 감사합니다."

직원이 내어준 음료는 별빛이 수 놓인 밤하늘처럼 푸르른 색을 띄는 향기로운 차였다. 그러고는 나는 내가 읽던 책의 마지막 장을 보는데, 마지막 장은 찢겨져 있었다. 나는 이 책의 결말이 궁금하여 직원에게 물었다.

"혹시 이 책의 결말은 어떻게 끝나나요?"

"결말은 이 책을 읽는 독자가 결정하는 거에요. 소녀가 잠을 자게 되거나 또다시 여행을 떠나는 결말 중에서 말이에요."

“그럼 저는 이 소녀가 잠을 잘 수 있게 되면 좋겠어요.”

그러고는 나는 음료를 들고 가게를 나왔다. 내가 나올 때 직원은

“좋은 밤 되시길 바래요.”

라고 말했고, 나는 그날 밤에 잊을 수 없이 아름다웠던 푸르고 푸른 밤하늘을 보았다.

EP.02 악몽 손님

 늘 같은 시간, 늘 다른 악몽들이 날 괴롭
힌다. 그리고 그 악몽에서 깨어나면 나는 늘
그 카페로 간다. 갈 때마다 늘 다른 분위기
를 풍기는 신기한 카페, 언제나 나를 반갑게
맞이해주는 마녀탈을 쓴 직원, 나는 오늘도
또 다른 악몽에서 깨어나 그 카페에 들어간
다.

 "딸랑, 딸랑"
 "어서 오세요. 꼬마 손님! 기다리고 있었

어요. 오늘은 또 어떤 꿈을 꾸셨나요?"

"모든 게 사라지고 없어지는 꿈이었어요. 세상의 모든 것들의 색도 형태도 사라지고 아무것도 남지 않은 세상에서 저 혼자만 남아있었어요. 처음에는 그저 신기하고 새로웠는데 시간이 지나면 지날수록 무섭고 외로웠어요. 이러다 저 자신도 사라지는 건 아닐까 하고 생각도 하게 되고요. 그러고는 꿈에서 깨어났어요. 다시 생각해 봐도 무서워요."

나는 그 말을 끝내고는 눈물을 흘렸다. 직원은 그런 나에게 손수건을 내밀었다.

"그런 꿈을 꾸셨군요. 많이 무서우셨겠어요."

"이제 이런 악몽들도 그만 꾸고 싶어요. 음료 주문할게요."

직원은 미안해하는 목소리로

"제가 손님의 고민을 해결해 드려야 하는데 죄송하네요. 무엇을 주문하시겠어요?"

"늘 주문하던 걸로 주세요."

"네, 잠시만 기다려 주세요."

나는 늘 악몽을 꾸지 않게 해주는 음료를 시킨다. 그러고는 카페 의자에 앉아서 나와 같은 상황인 아이가 나오는 동화책을 본다. 이 책의 아이도 나처럼 매일 악몽을 꾸고 매일 괴로워한다. 그러던 아이는 악몽을 꾸지 않기 위해 모험을 떠났지만 계속 실패하고 있는 중이다. 나는 이 책의 결말이 어떻게 끝나는지 모른다. 직원도 이 책은 아직 완결되지 않아서 모른다고 했다. 꼭 내 이야기 같다고 생각했다. 이 아이도 내가 꾼 꿈들을 꾸었기 때문이다. 내가 투명인간이 된 꿈, 귀신이 나를 괴롭히는 꿈, 어둠속에 갇힌 꿈, 그리고 오늘 내가 꾸었던 꿈까지 이 아이도 꾸었다고 적혀있었기 때문이다, 그래서 이상한 느낌도 들었지만 이 아이가 나 같아서 그런지 이 책의 결말에서는 이 아이가 악몽을 꾸지 않았으면 좋겠다고 생각했다. 내가 그런 생각을 하고 있는 동안 주문한 음료가 완성되었는지 직원이 나한테 다가왔다.

"주문하신 음료 나왔습니다."

직원이 건넨 음료는 내가 늘 마시던 따뜻한 우유 한 잔이었다.

"감사합니다, 안녕히 계세요."

나는 직원에게 인사를 했고 직원도 나에게 인사해 주었다.

"안녕히 가시고 좋은 밤 되시길 빌어요."

"딸랑, 딸랑"

나는 가게를 나왔다, 그리고 뒤를 돌아보니 가게는 사라져 있었고 아름다운 별들이 보이는 밤하늘만 보였다. 그 밤하늘을 보며 나는 우유를 마셨고, 오늘 남은 하루동안 악몽을 꾸지 않는 밤을 보냈다.

EP.03 운이 없는 손님

나는 운이 무지 없다. 아침부터 내가 늦잠을 자서 학교에 지각하지 않기 위해 열심히 뛰어서 지각을 피했는데, 가방을 열어보니 오늘 필요한 준비물을 놓고 온 것이다. 하지만 나는 괜찮았다. 이런 상황을 대비하여 준비물을 하나 더 준비하여 학교 사물함에 넣어놨었기 때문이다. 그렇게 나는 미리 준비한 준비물을 들고 가던 도중 갑자기 새 한

마리가 날아와 내 준비물을 물고 날아갔다. 그리고 그 새는 마치 나를 보고 비웃기라도 하듯이 나를 보고는 훨훨 날아가 버렸다. 나는 멍하니 그 새를 바라보다 터덜터덜 교실로 들어갔다. 당연하게도 나는 준비물을 놓고 와서 선생님께 잔뜩 혼이 나고, 벌을 받았다. 학교가 끝나고 집으로 가는 데도 운이 따라 주지 않아 나는 구를 뻔하고 떨어져 죽을 뻔할 정도로 운이 없다. 그 날도 그런 운이 없는 하루였다. 학교가 끝나고 집으로 가는 길에 못 보던 카페가 있었다. 나는 수상하다고 생각했다가도 호기심이 생겨 그 수상한 카페에 들어가 보았다.

"딸랑, 딸랑"

안으로 들어오자 내 앞에 참으로 신기한 광경이 펼쳐졌다. 카페의 내부는 밖에서 본 것보다 매우 컸고 바닥는 트램펄린처럼 나를 통통 튀게 하였다. 또 카페 같진 않지만 카페에 있어야 하는 것들은 또 다 있었기에 나는 이 광경을 보고 매우 당황하며 심지어는 꿈인가 싶어서 내 볼을 꼬집어 보기도 하였다.

"으악!! 아프다…"

꿈이 아니었다. 내가 넋이 나간 사이에 카페 직원이 내게 인사를 건넸다.

"어서오세요, 손님. 저희 카페에 오신 것을 환영합니다. 무슨 고민이 있으실까요?"

그 직원은 토끼 탈을 쓰고 있었다. 나는 순간 놀랐지만 바로 정신을 차리고 직원에게 물었다.

"고민은 왜 물어보시는지…"

토끼 탈을 쓴 직원은 늘 이런 상황을 겪는다는 듯이 웃고는 대답하였다.

"손님께서 고민을 들려주시면 그에 대한 값으로 손님께 필요한 간식을 내어드린답니다. 이제 손님의 고민을 들려주실 수 있으실까요?"

그 말을 듣고 나는 한 번 속는 셈 치고 나의 고민을 그 직원에게 털어놓았다. 그걸 들은 직원은 내게 필요한 간식을 준비해 올 테니 기다리고 있으라고 하며 갔다. 나는 그래서 카페를 돌아다녔다. 카페의 내부는 참 신비로운 분위기를 풍겼다. 주변에 꽃들이 가득 피어있었는데 그 꽃들은 보석처럼 반짝였고 아름다웠다. 또 밖에서는 안 보이던 2층도 있었다. 2층은 포근하고 편안하게 해주는 느낌이 들었다. 그리고 나는 카페를 둘러보고 이제 앉아 있으려 하는데 책이 내 발밑에 걸린 것이다. 나는 그 책을 주워 한 번 훑어보았다. 내용은 한 아이가 항상 운이 안 좋아서 아이에게 이상한 일이 벌어지는 이야기였던 것 같다. 사실 잘 기억이 안 난다. 보다가 잠이 든 건지 직원이 나를 깨우러 올 때까지 자고 있던 것이다. 직원은 내게 간식을 주며 말했다.

"이건 손님에게 들은 고민에 대한 값입니다. 맛있게 드세요."

직원은 내게 포춘 쿠키와 따뜻한 우유를 내어주었다. 쿠키를 보고, 나는 웃음이 나왔다. 이게 나에게 필요한 음식이었다는 게 웃기면서도 한 편으로는 위로가 되었다. 그래서 편한 마음으로 나는 쿠키를 한 입 베어 물었다. 적당히 달달하고 바삭하였다. 그리고 우유를 먹었는데 고소하고 따뜻하였다. 왠지 다 잘될 것 같은 느낌이 났다. 그러고는 나는 기분 좋게 그 가게를 나갔다.

"덕분에 기분이 나아졌어요. 감사합니다. 안녕히 계세요!"

"좋은 밤 되시기를 빕니다. 손님."

그렇게 나는 홀가분한 마음으로 집을 향해 걸어갔다.

EP.04 : 꼬마 유령 손님

  모두가 잠들었어야 하는 늦은 밤, 모두가
일어나있었다. 왜냐하면 오늘은 핼러윈이기
때문이었다. 그래서 나는 사탕을 받기 위해
여러 집의 문을 두드리고 사탕을 받으러 다
녔다. 나의 사탕 바구니가 사탕으로 가득 차
있는 걸 보고 나는 즐거운 마음으로 집으로
돌아가는 중이었다. 가던 중에 나는 핼러윈
분위기로 꾸며진 카페를 보았다. 카페는 호
박장식으로 구석구석 꾸며져 있었고, 지붕

위에는 유령과 거미줄 장식이 주렁주렁 매달려 있었다. 나는 사탕 바구니를 슬쩍 봤는데, 왠지 사탕이 더 많았으면 하여 그 카페의 문을 두드렸다.

"트릭 오어 트릿! 사탕 주세요!"

"…"

"사탕주세요!"

"…"

"사.탕.주.세.요!!!!!!!!!!!!!!!!"

나는 초인종과 함께 문을 두드리며 소리쳤다.

"덜컥"

마녀 탈을 사람이 문을 열어줬다.

"꼬마 유령 손님이시네요! 무슨 고민이 있으실까요?"

"고민이요?"

"네! 제가 손님의 고민을 들어드리고 싶어서요."

그 사람은 웃으며 나를 바라보았다. 고민을 들어준다고 했을 때 나는 그 사람이 마녀님인가 싶었다.

"혹시 마녀님이세요? 고민을 해결해주시는 그런 마녀님?"

"네! 그렇답니다. 저는 어떤 고민이든지 해결해드리는 마녀랍니다! 무슨 고민이 있으실까요, 꼬마 유령 손님?"

마녀님은 많이 들뜨신 목소리로 내게 물어보셨다. 나는 잠시 무엇을 여쭈어볼까 고민하다가 입을 뗐다.

"마녀님! 제 고민은 어떻게 하면 마녀님께 사탕을 받을 수 있을지예요.."

말하고 나서 나는 괜히 말했다고 생각하며 얼굴이 새빨갛게 달아오르는 것을 느낄 정도로 창피함을 느꼈다.. 그러고는 마녀님을 올려다보았는데 진지하게 고민하시고 계셨다. 그러고는 말씀하셨다.

"그렇다면 꼬마 유령 손님, 저를 좀 도와주시겠어요? 그럼 제가 꼬마 유령손님이 가장 좋아하시는 사탕을 만들어 드릴게요. 어떠세요, 저를 도와주실래요?"

나는 고개를 끄덕이며 생각했다. 내가 도와드릴 수 있는 게 뭘까하고 생각하는 동안 내 눈앞 어떤 상자가 나타났다. 그 상자는 어마어마하게 컸다. 그리고 마녀님은 자신이 말하는 물건이 그 상자에 있으니 내게 이 상자에서 찾아달라고 하셨다. 나는 마녀님이 시키시는 대로 물건을 찾아드렸다. 마녀님이 말한 물건은 수많은 과일들과 설탕이었다. 그리고는 그것들로 무언가를 만드셨는데, 그게 바로 내가 가장 좋아하는 과일 사탕이었다. 다 만드신 후에 내 손에 사탕을 가득 쥐어주시면서 말하셨다.

"만드는 거 도와줘서 고마워요. 이건 보답이에요. 그럼 좋은 밤 되기를 빌게요. 꼬마 유령 손님."

"안녕히 계세요. 마녀님!"

나는 그렇게 카페를 나와서 과일사탕을 먹으면서 집으로 돌아갔다. 다음 날 가보니 그 카페는 사라져 있었다.

EP.05 '고양이'의 하루

오늘의 카페 당번인 고양이는 새벽에 일어
나 카페를 열 준비를 하려고 계단을 내려가
고 있는데 발에 무언가가 걸리더니

'삐ㅡ------------------끗!'

뒤이어서 무언가 떨어지는 소리가 났다.

"우당탕탕!!"

그렇다. 발에 바나나 껍질이 걸려서 고양
이는 계단에서 그만 미끄러지고 말았고, 계
단에서 떨어진 것이다. 고양이는 자신의 머

리를 부여잡고 발을 동동 굴렀다. 그러다 발로 탁자를 찼는 데 탁자에서 왠 쪽지 하나가 고양이 머리에 떨어졌다. 고양이는 그 쪽지를 보더니 기분이 좋아졌다. 그 이유는 쪽지의 내용 때문이었다.

'-내일의 당번에게-

고양아 오늘 당번인 내가 바쁜 나머지 카페 정리를 못하고 간 거 있지. 그렇게 되면 내일 당번인 너가 이 청소를 다 해야하잖아. 내가 너한테 다 떠넘긴 게 너무 미안해서 너를 위해 작은 선물을 준비했어. 오늘 힘들겠지만 힘내고 파이팅해!

-오늘의 당번이-'

고양이는 이 쪽지를 보고 기분이 좋아져

일어나서 청소를 하려고 주위를 둘러보았는데 카페는 먼지투성이에 종류가 다양한 쓰레기들로 뒤덮여있었다. 고양이는 먼 산을 바라보다 빗자루를 들고 하나씩 치우기 시작했다. 일단 쓰레기들부터 치우고 먼지를 닦기 시작했다. 그렇게 치우고 나니 먼지와 쓰레기로 뒤덮여있던 카페는 어디가고 깨끗하게 정리되어있는 카페가 되어있었다. 그렇게 청소를 다하고 나니 시간은 벌써 아침이 되었고 고양이는 카페의 문을 열었다. 카페와 밖의 분위기는 반대가 되어있었다. 새벽에는 시끄러웠던 카페와 반대로 밖은 고요했지만 아침이 되었을 때는 카페는 차분하고 고요했고 밖은 시끄러워졌다. 도로 위에서 아침부터 차들이 경주를 하고 교복 입은 학생들은 늦잠을 잤는지 잠옷과 교복을 제대로 갈아입지도 못한 채로 뛰어가고 있었다. 반면 카페의 분위기는 고요했다. 하지만 손님들은 많

앉다. 카페에서 일을 하시는 손님, 분위기를 즐기시는 손님, 자신만의 시간을 보내시는 손님들이 있었다. 그렇게 고양이는 고요하면서도 바쁜 아침 일과를 끝냈다. 그렇게 아침이 지나고 해가 저물어가고 어둑어둑 해질 때 고양이는 마지막 손님을 맞이하고 카페 정리를 하고는 카페의 문을 닫고 카페를 떠났다. 고양이는 그때 무언가를 기억하지 못하고 집에 갔다.

EP.06 '마녀'의 하루

　　따사로운 아침 햇살이 창문을 통해 비쳐
오고 새들은 아침이라고 노래하며 시끄럽게
우는 알람 시계와 합주하였다. 따스한 햇살
은 점차 뜨거워지며 방을 데웠고 여름이었
다. 점점 방이 불지옥으로 변할 때쯤에야 방
의 주인인 '마녀'는 눈을 떴지만, 새들과 알
람시계의 합주는 계속되었고 결국 '마녀'는
들어버렸다. 그 엄청난 합주를……. 합주의

상황은 이러하였다.

알람시계: 자자, 지저귀는 새들아 내가 박자를 맞출테니 너희들은 이 박자에 맞추어 노래를 부르는 거야. 알겠니?
새들: 그래, 그러자 정말 아름다운 곡이 되겠는걸!

알람시계 & 새들: 그럼 준비하시고.. 시작!!!

"짹,띠리리리리리리리 삐삐삐삐삐!!!!!!!!"

정작 이 합주는 아름답다 못해 욕이 나올 정도로 엉망진창이었다. 마녀는 정작 이 혼란스러운 합주에도 아랑곳하지 않고 다시 꿈나라에 가서 이 합주의 관객이 되지 못하고 아무 상관 없는 사람들의 귀에서는 피가 나왔다. 새벽이었다. 그런 혼잡한 시간이 지나고 해가 중천에 뜬 아침이 되어서야 마녀는 일어나 카페의 문을 열 준비를 하였다. 막 일어나 졸린 나머지 걸어가면서도 졸고 있었다. 그렇게 비몽사몽한 정신으로 카페를 청소하다 일이 터질 것 같다고 생각하는 순간 마녀는 자신이 들고 있던 잔을 떨어뜨렸다. 떨어지는 컵은 떨어지는 와중에 '떨어뜨릴 것 같더니만….나 먼저 간다.'하는 표정을 하면서 떨어지는 것 같았다. 그러고는 그대로 깨져버렸다.

"와장창!!!!!!!!"

컵이 깨지면서 깨진 유리 조각이 사방 곳곳으로 퍼졌고 바닥은 온통 유리 조각으로 도배되어있었다. 마녀는 그제야 정신을 차렸고 멘탈이 나가버렸다. 마녀가 멘탈이 나간 이유가 카페 열 시간이 거의 다가오고 있었으며 그 안에 그 수많은 유리 조각을 치우고 아직 마무리하지 못한 청소와 정리를 해야했기 때문이었다. 마녀가 멘탈을 회복하고 있는 동안 시간은 물 흐르듯이 지나서 오픈 시간이 코앞까지 다가왔을 때 그제야 마녀는 정신을 차리고 청소하기 시작했다. 남은 시간은 단 20분 그 안에 청소를 마무리해야 하는데 보통은 이 시간안에 하지 못하고 포기하겠지만 마녀는 보기와 다르게 손이 매우 빠르기 때문에 10분안에 어떻게든 청소를 마무리하였다. 그러고는 카페의 문이 열렸고 마녀는 손님들을 기다렸지만 그날따라 손님들의 발길이 뚝 끊겼는 지 손님들은 오지 않고 시간은 흘러 새파랗던 하늘이 지나고 해가 지면서 붉게 물들었던 하늘도 지나 달이 뜬 어두운 밤이 되어서야 손님이 오지 않아 축 쳐져서 뻗어있던 마녀에게 손님이 찾아왔다. 마녀는 순간 멍을 때리다가 종소리를 듣고 벌떡 일어나서 손님을 맞이했다. 작은 꼬마 유령 손님이었다. 그렇게 마녀는 그날 밤 손님을 맞이하였다. 그리고 손님이 돌아가고 주변을 살펴보니 바닥에는 유리병이 나뒹굴고 있고 찐득 찐득하게 이리저리 과일즙이 묻어있었으며 사탕을 만들 때 썼던 그릇들과 바닥은 녹은 설탕들이 딱딱하게 굳어서 잘 떼어지지도 않는 등 엉망진창이었다. 그런 와중에 정전이 되서 카페의 모든 전기가 나가버렸다. 마녀는 결국 카페 정리를 다음 당번에게 맡기게 되었고 자신의 짐을 가지고 카페를 나갔다. 카페를 나가기 전에 마녀는 다음 당번에게 미안하고 힘내라는 내용의 쪽지를 남겨두고 도망치듯이 카페를 뛰쳐나와 연기처럼 홀연히 사라졌다.

EP.07 '토끼'의 하루

모두가 잠든 늦은 밤에 카페의 알람시계가 아주 아주 희미하게 울리고 있었다.

"부르르.. 부르르.. 딸깍!"

알람시계가 꺼지고 카페의 직원인 '토끼'가 눈을 비비며 일어났다. '토끼'는 일어나자마자 안경을 찾았다. 토끼는 안경을 못 찾고 침대에서 내려오다 그만 발을 헛디디고 말았다.

"쿵!"

"아… 내 안경….."

토끼는 넘어져서 아팠지만 일어나 안경을 찾으려 하다 책상을 못 보고 그만 발가락을 책상에 박았다..

'으아… … … … …'

토끼는 발가락을 부여잡고 비명을 지르고 싶었지만 사람들이 잠자고 있는 밤이었기에 소리를 지르지 못하고 소리없는 비명을 질렀다…. 하지만 아픈걸 참고 토끼는 일어나서 안경을 책상에서 찾고 카페로 내려갔다. 카페는 엉망진창이였다.. 어제 당번이 만들어 놓은 상황이었다. 바닥에는 유리조각이 깔려 있었고 찐—뜩 찐—뜩하게 바닥에 묻어서 굳어져서 떼어지지도 않는 과일즙이 널려있었고 그걸 본 토끼는 이루 말할 수 없을 정도의 스트레스를 받고 뒷목을 잡았다. 토끼는 크게 한 숨을 내쉬고는 이 상황을 받아들이

기로 마음 먹고 창고로 향했다. 창고는 지하실에 위치하여서 토끼는 지하실로 내려갔다. 밤의 지하실은 어둠이 길을 가린 듯이 어둑어둑하여서 발을 헛딛일 수 있으므로 토끼는 횃불을 들고 걸어갔다. 그렇게 아래로 계속 걸어가니 지하실에 도착하였다. 토끼는 도착하자마자 창고로 향했고 비장한 결심을 한 표정으로 창고에서 거대한 물건들의 뭉치를 들고 나왔는데.. 그 거대한 물건들의 뭉치는 바로 진공청소기와 물걸레, 세숫대야, 빗자루, 쓰레기통등의 청소 도구들이었다. 그 뭉치를 들고 카페로 다시 향한 토끼는 다시 한숨을 내쉬고는 이 지저분하게 어지럽혀져있는 카페를 청소하기 시작했다. 일단은 바닥에 사방으로 퍼져있는 유리조각부터 치우기 시작하였다. 토끼는 빗자루와 쓰레기통을 들고는 그 많은 유리조각들을 치우기 시작했다. 유리조각이 어찌나 날카롭던지 토끼가

조심조심 쓸어 담다가도 손에 박히기 일수였다. 그렇게 위험한 유리조각 수거가 끝나고 다음으로는 과일즙이 문제였다. 바닥과 달라붙어 굳혀져서 그냥으로는 떼어지지 않았다. 그래서 토끼가 생각한 방법은 바로 물걸레였다. 세숫대야에 따뜻한 물을 가득 받고 와 그 물에 물걸레를 넣고 짜서 바닥을 닦으니 바닥에서 안 떨어질 것 같았던 과일즙이 조금씩 떨어졌다. 그래서 토끼는 희망을 가지고 이 과일즙을 닦기 위해서 물걸레로 계속 빡 빡 빡 닦았다. 그렇게 닦은 후 바닥도 토끼의 노력을 알아줬는지 과일즙이 다 닦였다. 물론 그 부분의 과일잼만 다 닦인 것이다. 토끼는 좌절했지만…… 다시 힘을 내서 닦기 시작했다. 그렇게 토끼는 죽을 힘을 다해 닦았고 마침내 다 닦았다. 그렇게 바닥을 다 청소했을 때 고개를 들어보니 카페의 먼지들도 수두룩하였다. 그렇게… 토끼는 어두운 밤이 지나 아침이 될 때까지 청소를 했다. 청소를 마치고 보니 아침이었던 토끼는 쉬지도 못하고 카페를 열 준비를 하기 시작했다. 그렇게 아침이 되어서야 토끼는 조금이나마 여유를 가지게 되었다. 하지만 시간은 토끼에게 쉼을 주고 싶지 않은 건지 방해하고 싶은 건지 카페가 열리자마자 사람들이 카페로 하나 둘 씩 모이더니 주문하기 시작했다. 결국 토끼는 쉬지도 못한 채로 일하기 바빴다. 그리고 생각했다.

'이번엔 사장한테 수당을 더 받아야겠어. 그리고 지난번 당번한테는 반드시 피해보상을 받아내고야 말테다… .'

그런 생각을 하면서 토끼는 일했고 결국 다시 밤이 되어서야 조금의 여유가 생겼다. 그렇게 시간이 조금 지나고 나서 마지막 손님 한 분이 카페로 들어왔다. 토끼는 그 손님의 고민을 듣고는 음료를 추천해줬으며 마지막 손님의 배웅까지 완벽하게 마치고서 토끼는 마무리 정리를 하러 갔다. 오늘 하루 동안 판매한 음료와 간식의 양, 그리고 오늘 총 얼마를 벌었느냐 계산을 한 후에, 쌓아둔 설거지들을 할 준비를 했다. 오늘은 손님들이 많았던 만큼 산처럼 쌓인 설거지를 보니 토끼는 또 한 번 크게 한 숨을 내쉬고 두 손에 고무장갑을 낀 채 설거지를 하기 시작했다. 그렇게 끝날 것 같지 않았던 설거지가 끝나고 마무리로 청소를 한 번 더 해서야 토끼는 기나긴 밤이 되어서야 비로소 쉴 수 있게 되었다. 그렇게 토끼는 밤에 카페에 출근하여 밤에 퇴근하게 되었다. 어제 당번과 사장에게 따지고 싶은 그런 바쁘디 바쁜 하루를 보낸 토끼였다.

EP.08 직원 소집

어느 은하같이 아름다운 밤에 사람들은 모두 좋은 밤을 보내고 있을 때, 한편 카페 직원들인 '고양이', '마녀', '토끼'는 밤을 보내기는 커녕 밤에 카페에 나와 밤을 세고 있는 중이다. 모두 다 이유도 모른 채 갑자기 카페로 불려 왔는데 카페의 탁자에 한 쪽지가 놓여져있었다 .

카페직원들께-

　모두들 오랜만에
　소식을 드리네요! 이번 소집에서는 꼭 다시 만나뵙고 싶었는 데 제가 가지 못하는 상황이라서 어쩔 수 없이 이렇게 쪽지를 남기네요. 아 많이 놀라셨을 것 같네요. 갑자기 카페로 불려오셨으니까요… 그건 죄송스럽게 생각합니다..
　그리고 상황이 좀 그렇게 되다보니 이렇게 되어버렸네요. 그래서 이번에는 책임자인 저를 제외하고 여러분들이 진행해주셨으면 해요! 이번에 상의할 용건은 아래 써놨으니 읽어주시고! 그럼 다음에 뵐 수 있기를 빌게요!
　새로운 직원 채용을 채용할 생각이에요! 놀랐죠!! 그래서 여러분들이 직원 면접을 봐주시면 됩니당~~와!!!!! 면접일은 내일!!이니

모두들 파이팅!! 그러면 이만~~~~ㅎ

- 사장 -

이 쪽지를 본 직원들은 각자 다른 생각을 하고 있었다. 먼저 고양이는 여기로 불려오기 전에 집을 다 정리하고 기쁜 마음으로 침대에 눕는데 그 순간에 카페로 소환된 것이다. 조는데 깨운 사람한테 안 화나는 사람은 거의 없다. 생각해보자. 당신이 꿀잠을 자는데 누가 깨웠다. 기분이 어떨 것 같으냐. 당연히 욕 나올 기분일 것이다. 고양이가 딱 그 기분이었다. 반면 마녀는 아주 그냥 누워서 침대에서 뒹굴며 쉬고 있는데 불려왔다. 마지막 토끼는 그냥 이미 꿈나라로 떠난 중에 잡혀온 것이나 다름 없는 상황이었다. 그래서 상황은 제각각이지만 생각은 똑같았다.

'사장, 야근은 선넘었지…'

직원들은 잠시 사장에게 하고 싶은 무수히 많은 말들을 생각하고 화를 참아가며 겉으로는 웃으며 직원 면접 준비를 하기 시작했다. 직원 면접 포스터를 제작하고 SNS에도 홍보하기 시작했으며 제작된 포스터를 뽑아 이곳저곳 붙여 놨다. 그렇게 직원들이 모든 것을 하얗게 불태운 밤이 지나고 직원 면접날의 아침이 밝아왔다. 이때 요즘 취업난인 지금 카페직원들은 면접이 얼마나 위험한 전쟁인지를 알지 못했다.

EP.09 직원 면접

해가 반갑게 인사하는 아침, 카페직원인 '
고양이', '마녀', '토끼'는 늦은 밤까지 직원
면접 준비를 하느라 지친 상태였고 그렇게
늦잠 자버린 것이다. 하지만 그들은 여유로
웠다. 왜냐하면 그들은 면접을 볼 사람들이
없을 거라 생각했기에 여유롭게 일어나 준비
하고 있던 그들 중 그나마 일찍 일어난 '고
양이'는 먼저 카페로 내려갔는데 그만 그 자

리에서 굳어버렸다. '고양이'는 보고 말은 것이다. 카페 앞에 끝도 없이 사람들이 서있었기 때문이다. 그것도 면접때문에!! '고양이'는 얼른 이 비상 사태를 빨리 다른 둘에게 알렸고 면접 시작 시간까지 단 30분 남은 상황에 다들 분주해지기 시작했다. 모두가 옷을 입는 둥 마는 둥 정리도 하는 둥 마는 둥 급하게 끝내고는 면접을 시작하게 되었다. 첫 번째 지원자는 중학생이었다. 자기소개를 시작하는데 첫 등장부터 남달랐다.

"내가 여기온 것을 감사히 여겨라. 하찮은 인간들아!! 내가 친.히. 이곳에 와서 면접을 보는 것이니라!! 하지만 날 화나게 하지 않는 것이 좋을 것이야.. 내 팔엔 아주 위험한 녀석이 살고있으니!! 가랏!!! 정의의 용사여!! 가서 나의 흑염룡을 보여주거라,.!!!!!!!!"

그런 이유로 접대를 잘하지 못할 것 같아 탈락시켰다. 그렇게 중2병에 시달리고는 다음 지원자를 들여보냈다. 처음의 지원자가 너무 강렬했던 나머지 두 번째 지원자는 정상처럼 보였다. 두 번째 지원자는 고등학생이었는데, 공손하고 예의가 바랐다. 그렇게 자기소개를 시작하는데 말이 끝나지 않았다. 처음에는 자기소개를 하더니 잠시 질문을 해도 되는지 여쭤보고는 갑자기 웬 두루마리를 꺼내더니 하나씩 질문하는데 두루마리는 끝없이 이어져 있었고 결국 아쉽지만 탈락시켰다. 그렇게 계속 지원자를 받았지만 카페의 지원자들을 받으면 받을수록 제대로 면접은 진행되지 않고 너도 나도 자기말만 하며 면접을 보는 바람에 시간은 가고 직원을 뽑지 못하고 있는 중 지원자들을 점점 줄어들면서 그렇게 결국 마지막 지원자의 차례가 왔다. 직원들은 이미 지칠대로 지친 상황이었고, 포기하려는 때 카페의 문이 열리고 마지막 지원자가 들어왔다. 지원자는 카페로 성큼성

큼 들어오더니 자기소개를 차근차근 시작하였다. 직원들은 계속하여 정상인을 보지 못하여서 그런지 마지막 지원자가 의외로(?) 정상이라 감격할 무렵, 지원자와 눈이 마주치는데 지원자가 정상이라서 놀라 면접질문을 하는 것을 까먹은 직원은 다시 정신을 차리고 질문하기 시작했다. 면접 질문은 총 3가지로 참 신박했다. 첫 번째 질문은 요리였다. 이 카페는 다른 카페들과는 다르게 엄청 다양한 간식을 만들어야 하므로 요리를 잘해야한다. 지원자는 이 질문을 이렇게 답하였다.

"요리는 노력하면 늘지 않을까요? 그러다 보면 잘하게 되겠죠."

직원들은 그 대답이 마음에 들었는지 다음 질문을 하였다.

"그렇다면 두 번째 질문, 청소는 잘하나요?"

이 질문을 하는 이유는 카페는 매일 아침 청소를 하고 저녁에는 또 정리도 해야 하므로 청소를 잘하는 것은 아주 중요한 자격이였다. 그러자 지원자는 말했다.

"네, 청소 잘합니다! 믿고 맡겨주세요!"

그리고 대망의 마지막 질문을 하였다.

"그럼 마지막으로 당신은 무엇을 원하여 이곳에 지원하였습니까?"

이 질문을 듣고 지원자는 답했다.

"항상 바쁜 사람들의 쉼을 주고 도와주는 것이 저의 목표인데 이 것을 이루기 가장 적합한 곳이 카페라 생각하여 지원하게 되었습니다."

지원자의 답이 끝나자 직원들은 심각한 표정으로 말했다.

"여기 왜 오신건가요.?"

그 말은 들은 지원자는 잠시 멈칫했다. 그리고 직원은 말을 이었다.

"왜 이제야 오셨냐고요!!!! 저희카페에 딱 필요한 인재이신데 합격입니다! 축하드리구요! 간식 한 번만 만들어보세요. 이것도 요리를 잘하시는지 보는 일종의 시험이라서 부탁드리겠습니다."

"네!!"

지원자는 기뻐하며 바로 부엌으로 향했고, 요리를 하였다. 그렇게 지원자가 만든 요리가 완성되었고 직원들이 맛을 보는 데 보통이었다. 하지만 요리를 못하는 것보다는 나아서 합격시켰다. 그렇게 지원자는 카페의 새로운 직원이 되었고 이 직원에게 카페가 준 이름은 '독자'였다. 그렇게 독자가 이 카페의 새로운 직원으로 받아지면서 시끄러웠다면 시끄럽고 엉망이었다면 엉망이었던 직원 면접이 끝났다.